Tic! Tac!

pictiúir agus focail

Rebecca Archer a mhaisigh

An Gúm
Baile Átha Cliath

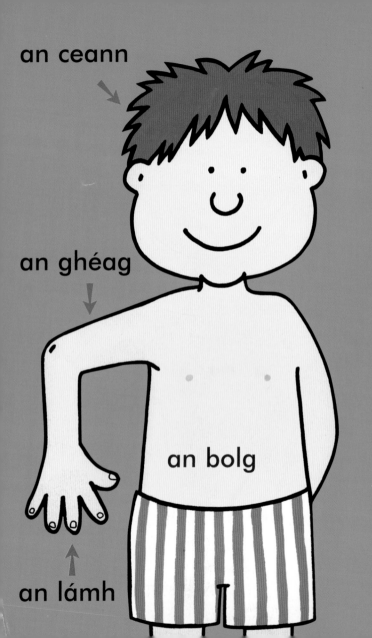

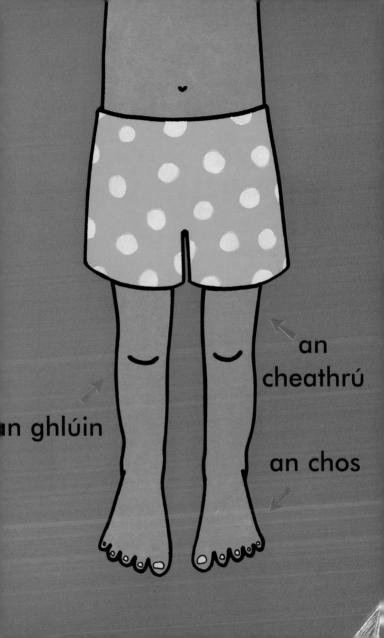

an
cheathrú

an ghlúin

an chos

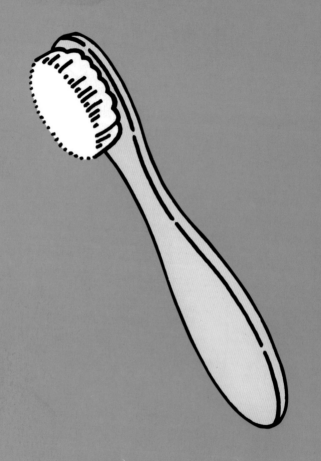

scuab fiacla

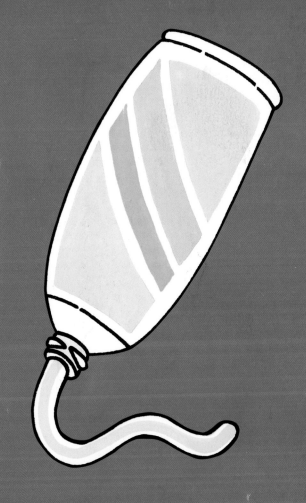

taos fiacla

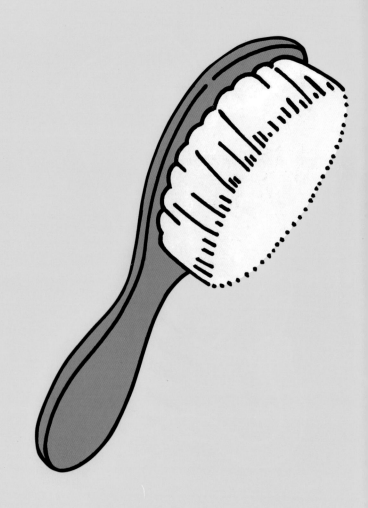

scuab

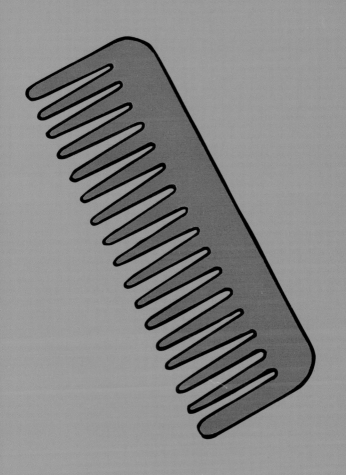

cíor

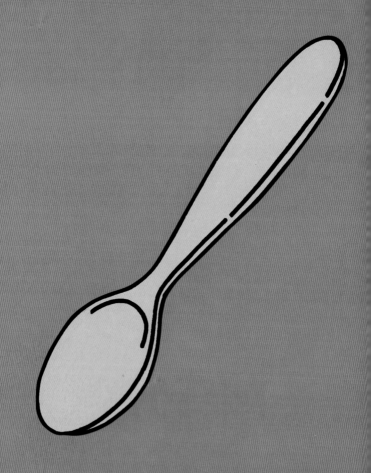

spúnóg

babhla

gligín

teidí

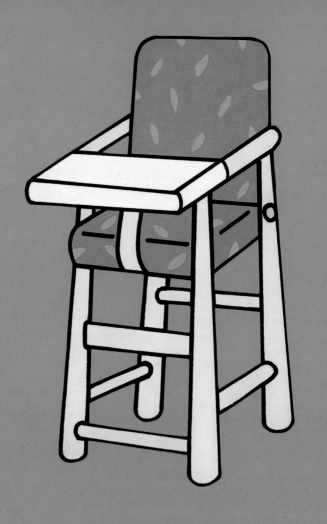

cathaoir ard

cupán

iógart

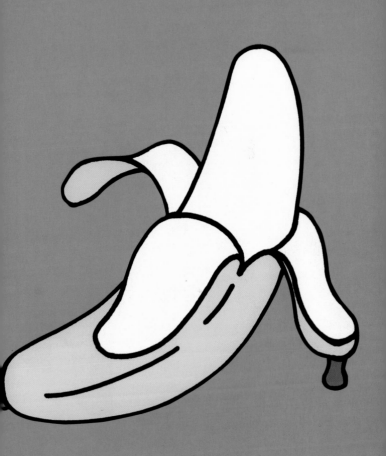

banana

cliabhán

Tic! Tac!

clog

coinín

scáth báistí

crann

bláthanna

Glug! Glug!

iasc

Vác! Vác!

lacha

bloic

hata